D0676640

# Si jamais cet amour...

# Guy Godin

# Si jamais cet amour...

Conception graphique: Martin Dufour



Dépôts légaux: 1er trimestre 1978
Bibliothèque nationale du Québec
Bibliothèque nationale du Canada

ISBN: 0-7773-3812-2 Imprimé au Canada

LES ÉDITIONS HÉRITAGE INC.
300, Arran, Saint-Lambert, Qué.
(514) 672-6710

j'ai voulu,
puisqu'il s'agit d'un cadeau,
m'affubler puis-je dire . . .
de ton genre, ton sexe,
ta pudeur, ton élégance . . .
et le temps de quelques poèmes
– de ton amour au féminin . . .

G.G.

# Au féminin,
# l'amour...

# Être aimée...

Être aimée . . .
Ne plus avoir ce froid dans l'âme . . .
Cette inquiétude qui condamne
à ne savoir qu'espérer . . .

Être aimée . . .
des yeux, du coeur . . .
par mille étreintes
Apaisée . . .
Subir ce doux bonheur,
atteindre
ce que l'on croyait insensé!

Être là . . .
Heureusement, follement atteinte
Être chaude . . .
parc'qu'entourée de feux qui sèment
en son corps
la joie de crier des je t'aime

Être à deux . . .
Faire plus de mille fois
ces voyages . . . amoureux! . . .
Ne jamais redevenir sages . . .

Être en nous
la solution et le problème
Comme loups
violemment se déchirer même . . .

Être à nous
le mai, le décembre et l'octobre . . .
En nos bouches goûter nos âmes
qui se donnent . . .

Être aimée
pour ce bien être
et ce doux pire
Être heureuse
de ce mal étrange qui ravive . . .

Être amour . . . Amoureuse . . . Être aimée . . .

# *Je nous aime*

Quand vous mettez vos mains
douces dans mes cheveux
Quand vous me regardez
simplement de vos yeux . . .

Quand vous penchez la tête
Comme seul . . . vous savez
Et que moi j'en souris . . .
Quand je vous sens heureux . . .

Quand vous êtes attentif
à moi qui vous regarde
jusqu'au fin fond du coeur
Quand le bonheur nous garde . . .

Je nous aime . . . Nous aime . . .
Oh! Dieu . . . que je nous aime!

Quand au petit miroir
Je nous regarde au loin
Quand vous m'êtes si bon
Et que vous êtes bien . . .

Quand vous venez tout près . . .
réfugier votre tête
sur mon sein qui vous berce . . .
Quand mon corps est en fête . . .

Quand je vous prends sur moi
et que l'on se possède
Quand vous me donnez tout
pour m'emmener au ciel . . .

Je nous aime . . . Nous aime . . .
Oh! Dieu . . . que je nous aime!

Quand l'amour nous dit oui
pour des jours à venir
Quand je sais que demain
vous ne pourrez partir . . .

Quand je vois notre chance, là . . .
nous tenant la main
Quand je sais que tu penses
le voyage sans fin . . .

Quand je sens et comprends . . .
que tu comprends aussi
tant et tant de l'amour
qui nous aime et nous vit . . .

Je nous aime . . . Nous aime . . .
Oh! Dieu . . . que je nous aime!

# *Berce-moi...*

La vie a dérangé mon âme
Mon âme . . . Oh! mon âme esseulée . . .
Je n'sais plus jamais retrouver
mes vrais pleurs . . . ma vraie vérité . . .

Je cours après des "impossibles". . .
Des "je voudrais". . . des oui . . . oui . . . mais...
J'aurais besoin de fausses lunes
depuis que j'ai perdu la vraie . . .

Berce-moi . . . Berce-moi . . .
Comme le faisait mon père
en notre doux jardin
par des soirs chauds et clairs . . .
Berce-moi . . . Berce-moi . . . .
Comme la voix de maman
quand elle était heureuse . . .
un peu . . . de temps en temps . . .
Berce-moi . . . Berce-moi . . .

Pourquoi dire oui à tous ces non
que mon coeur accuse en souffrance? . . .
Pourquoi me mentir sans raison
et me donner ce mal à l'âme? . . .

Pourquoi chercher ailleurs qu'au lieu
où se trouve joliment la paix?
Pourquoi donc se crever les yeux
à regarder mal d'aussi près? . . .

Berce-moi . . . Berce-moi . . .
Comme le faisait mon père
en notre doux jardin
par des soirs chauds et clairs . . .
Berce-moi . . . Berce-moi . . .
Comme la voix de maman
quand elle était heureuse . . .
un peu . . . de temps en temps . . .
Berce-moi . . . Berce-moi . . .
comme le faisait mon père
en notre doux jardin
par des soirs chauds et clairs . . .
quand nos coeurs étaient bien . . .

# *Mon amour me regarde*

Je vous aime, monsieur,
ça n'vous regarde pas!
Mon amour me regarde . . .
et c'est assez pour moi

Et c'est assez pour lui,
à ce fol amour-là . . .
de se laisser voir l'âme
par mes seuls yeux lilas.

Mon amour nous regarde
quand moi, je rêve à toi . . .
Son regard a le charme
d'un bien doux feu de bois . . .

d'un bien doux feu d'amour,
consumant toi et moi . . .
C'est deux fois du velours
par deux fois ces yeux-là . . .

Je vous aime de loin,
de si loin qu'il m'en vient
des images pour demain . . .
et pour encore plus loin!

De si près, je vous aime . . .
qu'avec ces deux yeux-là,
je quadruple l'amour
que je nous porte en moi . . .

Mes semaines, mes mois
sont à partir de vous . . .
que vous l'vouliez ou pas!
Ils ont même votre voix . . .

Moi, je vous aime, monsieur,
ça n'vous regarde pas!
Et gardez bien vos yeux
de me regarder moi!

# A n'plus jamais te voir

À n'plus jamais te voir
Et à ne plus t'entendre
Et à enfin savoir
que tu ne peux reprendre . . .

ce que tu as laissé
Et que tu es là-bas
auprès d'une insensée
qui ne sait rien de toi . . .

À n'plus jamais aimer
n'plus jamais être aimé
par Toi . . .
À regarder les heures
passer comme des mois . . .

À n'plus espérer
Ne plus jamais attendre . . .
Se savoir inutile
Sans envie de se pendre

"Je refais chaque jour
de mystérieux voyages
au fin fond de mon âme . . .
pour retrouver l'image
des anciennes amours . . .
qui parties pour toujours
ne reviendront jamais
illuminer mes jours . . ."

À n'plus jamais aimer
le matin qui se lève
Parc'que mes nuits passées
sans Toi . . . sont nuits de peine

À ne plus retrouver la joie
et le doux rire
Sans haine et de regrets
à se laisser mourir . . .

"Je refais chaque jour
de mystérieux voyages
au fin fond de mon âme . . .
pour retrouver l'image
des anciennes amours . . .
qui parties pour toujours
ne reviendront jamais
illuminer mes jours . . ."

À n'plus jamais te voir ! . . .

# *Dépossédée...*

Tu m'as pris mes sourires,
mes matins et mes nuits . . .
Mon souffle, mes soupirs,
mes chansons et mes cris . . .

. . . Et tu les a couchés
au creux de ta poitrine
Tu ne m'as rien laissé
Je suis, tu le devines . . .
ton esclave . . . ton bien . . .
qui sans toi n'est plus rien!

Tu m'as donné à dire
les mots que tu désires
Tu m'as donné à rire
et donné à souffrir . . .

Tu m'as mise à genoux,
m'as fait crier et geindre
Et tout cela pour Nous
je l'ai fait sans contrainte

Pour Toi
Par grand amour
Pour deux nuits
Pour toujours . . .

Tu ne m'as rien laissé
Et pourtant j'avais tout
Étant par Toi comblée
En prison par amour . . .

J'aurais donné ma voix,
mes yeux, mon peu de science . . .
mon peu de liberté . . .
pour conserver ma chance

Mais c'est toi qui t'en vas . . .
C'est moi qui reste là . . .
avec des cris de joie
qui ne serviront pas . . .
avec les yeux éteints
de ceux qui ont trop vu
et les bras inutiles
de ceux qui sont perdus . . .

# Eh oui,
# je sais déjà...

Eh! oui . . . je sais déjà
que j'aurai de la peine
que j'aurai froid demain
quand je vous saurai loin . . .

Je sais aussi que Vous . . .
Vous vous en sortez bien
Ça vaut à peine la peine
de s'en fair' un refrain
Et ça vaut encor' moins
que j'en aie de la peine
que j'en aie du chagrin . . .

Moi, qui presque vous aime . . .

J'ai subi bien des guerres
d'amour
entendez bien
Et plusieurs fois gagnante
j'ai vu plus d'un . . . rejoint . . .
lamentable . . . abîmé . . .
déchiré . . . déchirant . . .
Mes remords reprochaient
ces esclaves à mon sang . . .

"Avoir rendu si tristes
des êtres si aimants . . ."

Mais là . . . je sais déjà . . .
que j'aurai de la peine
que j'aurai à souffrir
Déjà mon coeur vous aime . . .

Et puis je sais que Vous
Vous vous en sortez bien
Ça vaut à peine la peine
de m'en fair' un refrain
Ça vaut à peine la peine
que j'en aie de la peine
de cet amour chagrin
abîmant à l'extrême . . .

Déjà . . . je fus choisie
et même apprivoisée
presqu'heureuse de cet autre
semblable à mes étés . . .
aimant le bleu . . . le vert . . .
les arbres . . . l'oiseau . . . la mer . . .
De cet autre comme eau pure,
cet autre sans excès . . .
Si différent de Toi . . .
Lui . . . presque trop parfait . . .

Eh! oui, là . . . je sais bien
que j'aurai de la peine
J'ai déjà du chagrin
Car déjà moi . . . je t'aime!

Déjà . . . je sais, je sais . . .
Toi tu t'en sors très bien
Ça n'valait pas la peine
de s'en fair' un refrain . . .
de ce "moi seule qui t'aime"
Toi qui n'en sauras rien
perdu seul dans ton rêve
mon bel amour lointain . . .

Je sais que j'en ai de la peine
que j'en ai du chagrin
Mais je m'en fous . . . je t'aime!
Ce doux mal me rend bien . . .

*Moi, vois-tu...*
*c'était vrai!...*

Moi, vois-tu . . . c'était vrai
Vois-tu . . . c'était unique
Moi, ce n'était rien d'autre
Moi, rien d'autre que toi! . . .

Oui, cela m'avait prise
Sans trop que je comprenne
ce que l'on me prenait . . .
c'était mon coeur . . . mon sang!

C'était aussi mes rir'
mes pudeurs . . . mes surprises . . .
Tout cela c'était Vous . . .
Oui, vous là . . . que j'aimais . . .

C'était une blessure . . .
et ma guérison sûre
Mes trente ans dans vos bras
qui riaient aux éclats!

Êtr' en amour avec l'amour
Penser beaucoup que vous c'est moi
Croir' que c'est la premièr' fois . . .
cett' autre fois où tu n'es pas . . .

Cett' autre fois où tu profites
de ma chaleur sans l'attiser
Quand c'est pour toi des faux baisers
mêlés à tous les miens trop vrais . . .

Quand c'est pour moi l'attente folle
de tes retours qui n'arrivent pas . . .
Quand je suis gaie . . . Toi, sans paroles
à ces questions qui restent là . . .

On se dit au bout de l'histoire
qu'on a vécu l'amour pour rien . . .
sans mêm' souffrir . . . mais ce chagrin
c'est après coup . . . qu'il se prépare . . .

Moi, vois-tu . . . c'était vrai
Vois-tu . . . c'était unique
Moi, ce n'était rien d'autre
Moi, rien d'autre que toi! . . .

Oui, cela m'avait prise
Sans trop que je comprenne
ce que l'on me prenait . . .
C'était mon coeur . . . mon sang!

C'était aussi mes rir'
mes pudeurs . . . mes surprises . . .
Tout cela c'était Vous . . .
Oui, vous là . . . que j'aimais . . .

C'était une blessure . . .
et ma guérison sûre
Mes trente ans dans vos bras
qui riaient aux éclats!

. . . qui riaient à pleurer
mon présent . . . mon passé . . .

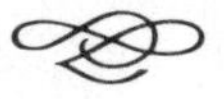

# La menteuse...

Je suis une menteuse
Ne mordez pas au piège
que mon âme vous tend
pour se sentir à l'aise . . .

Ne mordez pas aux chairs
que mon doux corps vous offre . . .
Vous y paieriez trop cher
la tentation trop forte . . .

Ne croyez pas trop fort
en mes talents d'actrice
Je n'suis que poudre et fard
Rimmel et artifices . . .

J'avais tout . . . et pourtant
j'ai voulu m'en sortir
Pour la vie, le talent . . . me manquait,
dois-je dire . . .

J'ai bu . . . J'ai fumé l'herbe
Pris des médicaments . . .
Folie j'ai voulu fuir
en m'enfermant dedans . . .

Je me suis bien fait croire
que j'aimais
quand jamais je n'avais de répit
Sans me sentir choisie!

J'ai agressé la vie
Trahi bien des amis
(apprivoisés d'abord . . .)
Voyez-moi . . . où je suis . . .

Je suis une menteuse
Je mens . . . je fais semblant
J'improvise mes rires
Je mens . . . Je mens . . . Je mens . . .

Allez-vous-en dehors . . .
Il y a des arbres verts
tout auprès des étangs . . .
Il y a des nénuphars
sur de douces rivières . . .
laissez chanter le vent

Laissez couler la paix
sur vos coeurs apaisés
souvenez-vous de près
votre lointaine enfance
lointainement bercée
par ceux qui vous aimaient . . .

Ramassez votre coeur
pendant qu'il est grand temps
Et plaignez ma douleur . . .
Et pleurez sur mon chant!

Je suis une menteuse
Mon drame est de me croire
encore pour quelque temps . . .
Pleurez sur mon histoire . . .

Je suis une menteuse
Et je n'ai plus de sang
à donner à vos vies . . .
Comprenez que mon chant
et mon pauvre récit
ont commencé bien loin . . .
où l'on m'avait menti!

# Qui donc saura?

Qui donc saura m'aimer
pour le peu que je suis . . .
Pour le peu qu'on m'a fait
d'amour dedans ma vie . . .

Qui donc saura comprendre
ce que moi je comprends
quand je parle de l'âme
Comme d'autres du temps . . .

Qui donc saura savoir
me donner sans reprendre . . .
Qui donc saura pouvoir
tout doucement m'apprendre . . .

"Que ça doit être beau
quand c'est vraiment l'amour
Quand c'est vraiment qu'on s'aime
Qu'on nous aime en retour . . .

Que ça doit être bon
ce vrai goût du bonheur
comme un baiser du coeur
sur nos lèvres des heures . . .

Que ça doit être doux
nos deux vies là . . . ensemble
nos deux vies là . . . qui jouent
la symphonie de l'âme . . ."

Qui donc saura m'aimer
pour tout ce que je suis
Ou que je pourrais être
tout en partant de lui . . .

Qui donc saura trouver
comme un baume à mes peines
Une mélodie douce
pour endormir mes haines . . .

Qui donc saura me faire
l'heureuse prisonnière
du sentiment amour
prolongeant l'éphémère . . .

"Que ça doit être beau
quand c'est vraiment l'amour
Quand c'est vraiment qu'on s'aime
Qu'on nous aime en retour . . .

Que ça doit être bon
ce vrai goût du bonheur
comme un baiser du coeur
sur nos lèvres des heures . . .

Que ça doit être grand
vivre dans la lumière
de celui qui nous prend
nous aime et nous libère . . .

Que ça doit être pur
et beau . . . la vie entière
à se fair' bercer par
qui nous fait la première . . .

Se sentir douce et fière
Choisie par ce premier
Qui saurait de nos heures
faire des éternités . . .

Qui saurait de nos rêves
fair' des réalités . . .
Faisant chanter l'amour . . .
en choeur au monde entier!"

# Nous serons ces deux-là...

Nous serons ces deux-là . . .
comme échappés d'un siècle
où meurt le sentiment
et où se perd l'espoir . . .
Ces fous derniers, peut-être,
à redonner aux fleurs
la couleur de l'amour . . .
Mille fois nous y croirons
et mille fois serons fiers
de n'compter que sur Nous
pour rebâtir le monde . . .

Lui: Tu verras . . . je serai de
patience admirable . . .
De tendresse et courage à
vaincre tous ceux-là
qui disent ne pas y croire . . .

Elle: Tu verras . . . je saurai
réadoucir le nid
Réagrandir le lit
Retisser de ma laine ta paix
douce et la mienne . . .

Lui: Je serai de passion . . . sans
faille . . .
Plus ardent que l'envie
Plus percutant qu'un cri
Plus puissant que la foudre . . .

Ensemble: Nous aurons tant souffert
pour mériter l'amour . . .
Tant perdu de doux temps à
écouter l'infâme . . .
qu'il nous sera facile
d'apprivoiser l'hiver . . .

Elle: Regarde-nous s'aimer . . .
On en meurt . . . c'est certain
Ne se laissant des yeux, de la
bouche . . . et du coeur...

Lui: Regarde-nous perdus au milieu
de tant d'autres
Retrouvant notre route
amoureuse retracée
Retrouvant nos retours . . .
à jamais rassemblés . . .

Ensemble: Nous sommes ces deux-là . . .
À n'plus cesser de boire ailleurs
qu'à nos rivières . . .
à n'croire qu'en nos prières
et qu'en ce coeur qui bat! . . .

Nous sommes ces deux-là . . .
à regarder, fragile et forte
pour demain,
pousser la fleur vivace
naissant de notre amour . . .

Ces deux foux amoureux,
essoufflés . . . apaisés . . .
Fébriles et sans histoire . . .
Ne racontant plus rien
Sans âge et sans mémoire . . .

Ces deux-là . . . Ces deux-là . . .
Sans plus de froid dans l'âme . . .
Sans l'inquiétude qui condamne
à ne savoir qu'espérer . . .

Lui: Je ne T'aimerai plus trop . . .
tu verras . . .
juste beaucoup
avec calme et réconfort . . .

Elle: Sans histoire
Plus tendrement que la
tendresse
sans te le dire
tout à le vivre!

Lui: On en mourra, c'est certain
et puis après . . .
Tout recommencera bien en
dehors du temps
tout au coeur de l'amour
qui est au-dessus de toute
chose . . .
Je t'aime beaucoup . . .
Bien mieux... éternellement...

Elle: Je t'aime . . . Je t'aime . . .

Lui: Je t'aime . . . Je t'aime . . .

Ensemble: L'amour nous vit!

# Départ

Crois-tu qu'on peut encore
essayer d'être heureux?
Rebâtir ces châteaux
éteints dedans nos yeux?

Crois-tu qu'on peut refaire
ce que l'on a détruit?
Habiller de soleil
tous ces matins de pluie?

— Je ne veux plus rien croire
Laisser couler le temps
Mon coeur est sans espoir
Mon âme est sans printemps . . .

Je ne veux plus rien vivre
Ne plus jamais aimer
Ne plus me souvenir
Et ne plus espérer . . .

Est-ce cela la fin
quand plus rien ne commence?
Est-ce cela la mort
quand on n'a plus de chance?

Est-ce cela le glas
des amours décédées
qui n'ont plus rien à faire
des jours ensoleillés?

— Je crois que c'est cela
la fin d'une aventure
s'étant toujours menti,
se menant la vie dure . . .

Le coeur ne peut tromper
le coeur de la nature
Et point n'est de maison
lorsque l'amour ne dure . . .

Nous allons donc partir
sans même nous quitter . . .
puisque jamais ensemble
ne sommes demeurés . . .

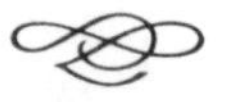

# Au masculin,
# l'amour...

# Je t'aime

Je t'aime pour les jours gris
Pour les petits soleils
des petites vacances

Je t'aime pour les derniers bruits
des presque derniers sabots
des peut-être presque derniers chevaux

Je t'aime pour la pluie
Je t'aime pour les grands vents

Pour ton oeil intelligent et grave
qui sait réanimer
et voire même . . . guérir la maladie des
hommes

Je t'aime pour tous ces trois fois rien

Pour ce que tu écris
Pour ce comment tu écris
Pour tes fautes de français

Pour tes nattes à ton âge . . .

Pour tes jalousies enfantines
Pour tes colères . . . tes cris

Pour le sable et le cuivre
que j'aime . . .
et pour l'odeur respirée fortement
dans le bateau-moteur

Je t'aime pour le pire

Pour les hirondelles qui attaquent l'homme
s'approchant trop près du nid

Pour l'aurore
Pour l'amour
Pour l'été

Pour les nuages transportés par les vents
du ciel

Je t'aime par
et pour tout le mal que tu m'as fait

Je t'aime pour toi

Sans égoïsme

Et je te nomme amour
Et je ne peux plus jamais me séparer de toi
puisque je te porte
au plus profond de mon calme
enfin retrouvé . . . par toi!

Je t'aime!

# Si jamais cet amour...

Si jamais cet amour
devenait autre chose . . .
qu'un sentiment violent . . .
tendre . . . et réconfortant . . .

Si cela cessait d'être
cette "joie et souffrance"
qui embellit le coeur
et ravive le sang . . .

Si jamais toi sans moi . . .
Nous . . . sans ce grand amour . . .
S'il nous appartenait
d'appartenir à d'autres . . .

Si jamais nos extases
allaient vers autre chose . . .
Si jamais cet amour . . .
nous mourait dans les bras! . . .

Doucement pars . . .
Épargne-moi la peine
Épargne-moi la haine
Épargne-moi le mal
Épargne-moi le coeur . . .

Si jamais le doux rêve
devenait la nuit froide . . .
Et si jamais nos mains
ne servaient qu'à ranger
les photos et mots doux
rappelant "nous ensemble". . .
S'il nous restait présent
que ces cris du passé . . .

Si jamais à coeur joie
devenait à coeur peine . . .
Si jamais ta douleur
n'appartenait qu'à Toi . . .
Et si jamais Ma joie
n'était plus là . . . la tienne . . .

Si jamais cet amour . . .
nous mourait dans les bras! . . .

Doucement pars . . .
Épargne-moi la peine
Épargne-moi la haine
Épargne-moi le mal
Épargne-moi le coeur! . . .

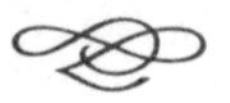

# Amour amitié

Moi je te dis pour ceux
qui renoncent à la fête
qui recourbent la tête
refusant la journée . . .

Je te dis pour ceux-là
qui n'ont ni foi ni rêve
abîmés de semaine
solitaires et blessés

Pour qui n'a jamais pu revenir
de la guerre
Également pour ceux
qui ont l'esprit perdu
à rechercher trop loin
tout au-delà du rêve
un grand coin de bonheur
qui leur serait permis . . .

Salut champion, je t'aime!
d'où que tu sois ou viennes
je mise sur tes croyances
et je te veux gagnant!

J'endosse tes faiblesses
Tes folies et tes peines
Je dessine tes joies
Pour quand viendra le froid . . .

Moi je parle à celui
qui choisit de se taire
Pour le coeur et l'esprit
je voudrais le repos

Ne jamais déranger
ce qui est bien sur terre
réinventer la joie
Essayer d'être beau!

Viens là . . . que je te berce
Comme on le fit hier
pour moi qui sus pleurer
Pour moi qui me souviens . . .

Regarde dans mes yeux
Il y a ta faiblesse
Entends couler ce sang
et reconnais le tien!

Je ne sais qu'être un homme
Heureux de mille misères
Un qui croit au devoir
d'essayer d'être heureux . . .

et je te dis salut!
Salut champion que j'aime
d'où que tu sois ou viennes
Reçois un peu la vie
comme on reçoit le temps

Chargé parfois de pluie
de soleil et de vent . . .
Quelque fois d'arc-en-ciel
qui enjolive tant!

Salut champion que j'aime
Embellis la misère
Crois à la fin des guerres
Sais être faible et fort . . .

Et dis-toi que le jour
qui se lève
est le même
qui vient chaque matin
offrir bien peu ou tant . . .

Je ne sais pas jusqu'où
peut aller la souffrance
Je ne sais pas jusqu'où
le coeur peut aimer
Mais je sais que je t'aime
et que j'ai la croyance
et cet espoir en Toi
qui ressemble à AIMER!

# *Souventes fois...*

Souventes, souventes fois
Et de mille manières
Dans différents décors
Près de vos yeux changeants
De ce mystérieux coeur

Touché par si belle âme
Atteint par vos candeurs
Vous, multiple
Vous, unique . . .

Vous d'une et mille sortes
Je vous ai vingt fois fuie
et plus encore, trahie
Et tant de fois, aimée

Adorable âme amour
Je vous aime, ai aimée
souventes, souventes fois . . .

Oui, vous avez mon coeur
Soyez sans crainte, allez!
Allez voir là, tout près,
vous verrez que j'y suis . . .

Vous verrez que je suis
tout de vous
tout sur vous

Je connais vos angoisses,
vos doutes, vos méprises

Souventes, souventes fois
je vous ai su éprise
comme moi, je l'espère,
uniquement de Nous!

Souventes, souventes fois . . .

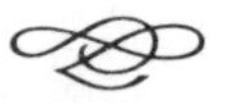

# *Derniers mots d'amour pour toi(e)...*

Tant de choses changent
le temps d'un sommeil . . .
le temps d'un réveil . . .
d'une fragile pause

Non, ce n'est pas se contredire
que de vivre autre chose
sans pour cela renier . . .
simplement ne plus croire que . . .
ne plus être pareil . . .

Se surprendre à redire
l'exclusif et sacré
à une autre étrangère
– à un autre étranger –
qui ne s'est rien mérité
et qui a su tout prendre

On a vu des modestes
devenir arrogants,
des tendres être violents
à si peu de distance . . .

Et toi, semblable aux autres
toi qui m'aimes, je pense,
toi entière et vibrante,
fidèle et sans méfiance;
si la vie se mêlait de te tendre le piège,
de tuer sortilèges et magie même d'aimer . . .

Se peut-il que pour toi
que comme pour tous les autres,
ces souvenirs présents
n'aient plus rien à te dire?

Se peut-il que nos yeux
se revoient sans surprise?
Que le son de nos voix
indique la méprise?

Se peut-il que pour moi!
jamais plus dans tes rêves?
Ces heures paraissant brèves
devenant comme mois?

Se peut-il?
Se peut-il?
Oh, s'il se peut . . . que faire?
Que tu changes de rêve?
Que tu changes de vue?
Et qu'un jour, sans mystère,
toi, tu ne m'aimes plus?

# Table des matières

*en publiant*
*ce petit livre*
*je n'ai eu d'autre prétention*
*que celle*
*d'avoir été*
*comme VOUS*
*souventes fois*
*EN AMOUR*